我的吸血鬼同學

19
鳳凰陵墓的秘密

創作繪畫・余遠鍠　　　故事文字・陳四月

目錄

迦南

擁有金黃魔力的人類少女。好奇心重，領悟力強，平易近人的她曾被黑暗勢力封印起她的魔力，是九頭蛇想捉拿的人。

安德魯

吸血鬼高材生。外形冷酷，沈默寡言，喜歡閱讀的他想找出失蹤多年的父親，與迦南兩情相悅。

美杜莎

蛇髮妖族的後裔。她曾嫉妒受歡迎的迦南，但現時二人已成為朋友。

米露

身手靈活的貓女。有收集剪報的習慣，熱愛攝影的她夢想成為魔法世界的記者。

阿諾特

吸血鬼一族的王子，是被寄予厚望的天才。追求力量和榮耀的他自視高人一等，對同樣被視為天才的安德魯抱有敵意。

艾爾文

隸屬公會的吸血鬼獵人。因為父親被吸血鬼害死而十分痛恨吸血鬼，個性剛烈的他擅長使用長劍。

艾翠絲

艾爾文的妹妹。同樣因為仇恨踏上獵人之路，以一把手槍協助艾爾文執行任務，是艾爾文最重要的親人和拍檔。

愛莉

人魚族的公主，既是金黃魔力持有者，也是海洋之都未來的領導人。她的歌聲充滿了溫柔而強人的魔力。

舒雅

魔法萬事屋的店長，也是魔幻學院的畢業生。不只魔法了得，還懂得製作魔法道具。

摩卡

魔法萬事屋的吉祥物，是一隻會說話和會使用魔法的黑貓。

海德拉

才華洋溢的天才魔法師，為拆穿王國的謊言、揭露歷史真相而不惜犧牲一切，是令人聞風喪膽的黑魔法派領袖。

米迦勒

七大守望者之首，也是統領獵人公會多年的人。深藏不露的他從不在人前現自己真正的實力。

我的
吸血鬼同學

人類界之內，妖魔和獵人之間的衝突愈來愈激烈，以九頭蛇為首的黑魔法派**死灰復燃**，吸納了在人界受到不公平對待的妖魔後，勢力更與日俱增。

現在棲息在人界的妖魔大致上分成兩派：

加入黑魔法派以鏟除公會總部，在人界建立新秩序為目標的激進派；不希望被捲入鬥爭，隱姓埋名在人界安穩生活的柔和派。

阿諾特在人界為柔和派的妖魔提供了庇護所，保護弱勢社群免受獵人殘害，但由於他本身是公會通緝的重犯，所以他的夥伴和追隨者，同樣被視為幫兇。

夜幕低垂，街上**肅殺寧靜**，商鋪食肆已結束營業，但這才是獵人最忙碌的時間。

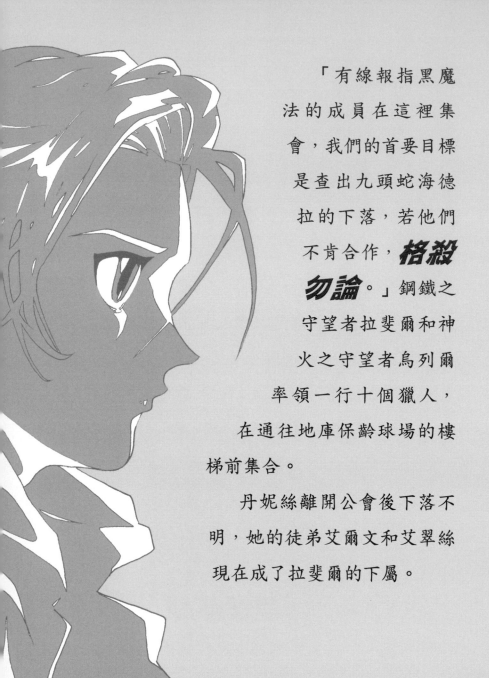

「有線報指黑魔法的成員在這裡集會，我們的首要目標是查出九頭蛇海德拉的下落，若他們不肯合作，**格殺勿論**。」鋼鐵之守望者拉斐爾和神火之守望者烏列爾率領一行十個獵人，在通往地庫保齡球場的樓梯前集合。

丹妮絲離開公會後下落不明，她的徒弟艾爾文和艾翠絲現在成了拉斐爾的下屬。

　　「若要成為守望者，當他們的
左右手就是最快的捷徑。」這是艾翠
絲的信念。

一眾獵人**小心翼翼**的走向地庫，保齡球場內竟變成了冰天雪地，獵人每呼出一口氣都遇冷形成白霧。

「藏頭露尾的傢伙……大家要打醒十二分精神。」拉斐爾環顧四週，豎立的冰柱數之不盡，卻不見一個黑魔法派妖魔的身影。

「這些冰柱內，好像有些什麼。」艾翠絲仔細地觀察，隨即被內裡冰封的東西嚇得雙腳發軟，跌坐地上。

「是人類……」艾爾文也發現了可怕的事實。

「救……救命啊！」走在前方的獵人措不及防，被毛茸茸的粗壯大手抓到半空中。

雪白毛髮的魔獸雙腳站立，體格和大猩猩相似，前臂十分粗壯，是在魔幻世界中棲息於雪山地區的「雪妖獸」。

「雪山的魔獸為什麼會出現在人類世界？」鋼鐵之守望者拉斐爾戴上經過升級改良的魔力拳套，天啟財團的科技產物再次出現。

「不止一隻，還有很多雪妖獸潛伏在這裡。」神火之守望者烏列爾雖然雙目失明，觸覺卻比常人敏銳得多。

雪妖獸是群體生活的魔獸，只要在牠們的地盤出現，無論是人類還是妖魔也會被牠們當成獵物。

獵人們**接二連三**倒下，他們甚少有對付魔獸的經驗，面對這些粗暴狂野的原始生物，有些獵人甚至連武器也還未拿出來，已經身首異處。

「我們被狠狠擺了一道，這保齡球場是個陷阱，提供線報的相信是黑魔法派的妖魔。」但在身經百戰的鋼鐵之守望者面前，這些魔獸只是以卵擊石。

「速戰速決吧！魔獸也好、妖魔也好，只要是為害人間的，全部都不能放過。」**熊熊烈火**在神火之守望者身上蔓延開去，雪妖獸瞬間被火焰吞噬。

守望者的推測是正確的，提供線報的人正是黑魔法派的成員，他們預先把為數不少的魔獸安排在這裡，引導獵人自投羅網。

遭人暗算的獵人公會實在損失慘重，能活著離開保齡球場的，除了兩名守望者外，就只有另外兩名獵人。

「他們的表現一天比一天好，的確有繼任守望者的潛質。」艾爾文和艾翠絲的實力突飛猛進，能得到烏烈爾認同的獵人少之又少。

「**問題是他們和妖魔曾經有緊密的關係。**」拉斐爾對兩人作出詳細調查，他還未完全信任這對兄妹。

「哥哥，你受傷了……」艾翠絲和阿諾特已**斷絕來往**。

「放心，只是皮外傷罷了。」艾爾文也不再回覆愛莉的信件。

雖然寂寞，但艾爾文和艾翠絲一致認為這是必須經歷的階段。一切，也是為改變人類和妖魔的關係。

獵人公會總部內，剛從保齡球場回來的四人被召集到聖殿，向現時公會的最高領導人——守望者米迦勒，報告戰況。

但這一次，站在禮堂正中央的不再是米迦勒，而是以實習為理由來到獵人總部的迦南。

「女王，妖魔狡猾無比，我們又失去了六名寶貴的獵人了。他們也有家人、也有夢想，但妖魔為了打擊獵人公會，卻佈下如此陰險的陷坑。」米迦勒表現得**悲痛欲絕**，

試圖改變迦南對妖魔的看法。

　　迦南在公會總部的每一天，也被進行思想教育。

　　「加上被魔獸殺害的無辜百姓，單單是這一次事件已有三十人喪命，實在事態嚴重。」守望者你一言、我一語，為的是向迦南施加壓力 。

　　「艾爾文，他們說的都是事實嗎？」迦南雙目無神，語氣軟弱無力。

　　「嗯，提供虛假線報的是黑魔法派的狂熱分子，他已被其他小隊逮捕了。」艾爾文十分擔心迦南，從前她表情豐富，現在卻面如死灰。

　　「米迦勒，我……應該怎麼辦？」迦南向米迦勒問。

迦南是女王的轉生，她才是最有資格領導公會的人，所以米迦勒向校方發出邀請，讓迦南盡早學習如何領導公會，如何守護人類。

「現在公會面對人力不足的嚴重問題，讓志願者使用魔力武器參戰是可行的方案，但這只能解決**燃眉之急**，我曾向你建議的計劃……是時候實踐，不宜再拖了。」但現在迦南，只是受米迦勒操控的傀儡。

「我明白了……讓我再考慮一下。」迦南垂下頭回應，臉色比剛才更差。

「女王，明天你還要和大批信眾會面，時間已不早了，我們送你回寢室休息吧。」負責貼身保護迦南的守望者共兩人，其中一人是曾令阿諾特陷入苦戰的加百列。

「且慢……」在公會總部的迦南，像失去了自我意識，*任人擺佈*的木偶。

開始實習後，迦南甚少提出自己的要求，但這次她主動走到艾爾文面前。

　　「辛苦你了，要保重身體啊！」迦南不需揮舞魔法杖，單以金黃魔力就能治好艾爾文的傷。

　　然後艾爾文看著迦南在守望者的護送下逐漸遠去，此刻他還能感受到迦南是他認識的迦南，但他也愈來愈擔心，到底守望者對迦南做了什麼？

　　魔法萬事屋內，安德魯打開了塵封多年的蝙蝠鐵盒，那裡收藏的竟然是昔日的「**魔界之王**」——安格斯親筆撰寫的深淵魔法書。

　　「你還記得委託人的名字是什麼嗎？」安德魯和對留下這盒子的人十分好奇。

　　「若我沒有記錯的話，應該名叫安……安古……」舒雅十分善忘，而且事隔多年，委託人並沒有再次拜訪。

　　「是叫安古蘭，現在回想起來，他和你的長相有點相似呢。」黑貓摩卡記憶力比舒雅好得多。

「沒錯！我回想起來了，他沒有留下聯絡方法，就算我想把盒子歸還給他也**苦尋無獲**。但他曾說過在時機成熟的時候，便會有人前來認領盒子內的東西。」舒雅口中的委託人，是安德魯的至親。

「他不會再出現了，安古蘭⋯⋯是我已故的父親。」安德魯眼泛淚光，他的父親為了拯救他，犧牲了自己的生命。

奉國王阿瑟之命潛入黑魔法派做臥底，受盡**千夫所指**的安古蘭雖然被追封為救國英雄，卻丟了自己的性命。到底值不值得，答案已和他一起埋葬在墳墓裡。

「抱歉⋯⋯我們不是有意提起你的傷心事。」年紀輕輕便經歷喪親之痛，舒雅也為安德魯感到難過。

安古蘭和大賢者尤莉亞關係密切，他們一起策劃了改變魔界樹枯死的未來。

「這本魔法書為什麼會在我爸爸手上？他又為什麼要把這東西留在這裡？」安德魯滿腦子都是問號。

安古蘭是少數知曉未來的人，他的每一個決定，也必定有重要的原因。

「父親留下的秘密寶箱，碰巧來到兒子的手上，若不是緣分使然，就一定是命運安排。」摩卡一副*若有所思*的表情說。

「既然盒子由你打開，內裡的魔法書又是吸血鬼一族流傳的東西，這本魔法書就由你來保管吧。」舒雅決定轉贈安德魯。

「你把這麼貴重的東西交給我……我真的可以收下嗎？」安德魯感到負擔很重，深淵魔法是只有安格斯才懂得使用的魔法。

「**是這個了，有了它就能拯救迦南。**」一直沈寂安分的心魔在呼喚安德魯，他渴求強大的力量。

安德魯得到了吸血鬼一族的寶物，魔界之王安格斯在女王迦莉離世後，便帶同這本魔法書失去了蹤影。有傳言說安格斯承受不了失去愛妻的打擊，在悲痛中孤獨逝去，但安德魯知道這不是事實的全部。安格斯和安德魯有相同的經歷，他們也吸過蘊含金黃魔力的鮮血，這會令吸血鬼痛不欲生。所以安德魯估計，如果世上有人知道完全解除血癮的辦法，那必定是安格斯。

宿舍大宅內，獲贈深淵魔法書的安德魯立即回房間**挑燈夜讀**，他急不及待解開魔界之王強大的秘密。

「這些全都是我從未見過的魔法陣……」安德魯深感佩服，魔界之王不只有卓越的領導才能，還兼備創新魔法的創造力。

「有了它……說不定能和海德拉決一高下。」九頭蛇潛伏人間，令安德魯**寢食難安**。

安德魯要阻止女王葬身於九頭蛇手上的歷史重現，深淵魔法將會是重要的關鍵。

為什麼最後的幾頁
一片空白呢？

　　安德魯快速翻閱魔法書，空白的頁數惹人
懷疑。

　　「*還有一封未曾打開的信⋯⋯*」而
在書的最後夾著一封沒有署名的信件。

　　「這會是寫給誰的信呢？我擅自拆開是否
有點過分呢？」安德魯很好奇信的內容。

　　安德魯在燈光下舉起信件，看看能否透視
到它的內容，專注的他沒有留意到身後有人
悄然無聲地接近。

「安德魯！」貓女米露和蛇髮魔女美杜莎在安德魯耳邊大聲說，嚇了安德魯一跳，連手中的信件也掉到地上。

　　「三更半夜，你*鬼鬼祟祟*的在看什麼？」同是人界實習生，美杜莎和米露常常以作弄安德魯為樂。

你們不可以先敲門，然後再進來嗎？

這信封殘殘舊舊，是給誰的？

　　於是，安德魯把得到深淵魔法書的來龍去脈告訴她們。

「魔界之王的魔法書重現人間！這可是大新聞啊！」米露對具新聞價值的東西特別感興趣。

「相傳吸血鬼領袖安格斯就是憑深淵魔法稱霸魔幻世界……我們還是保密比較好，被人知道這本書在你手上的話，很有可能會被**圖謀不軌**的人盯上。」美杜莎也驚歎不已。

「魔界之王……」安德魯從小到大也沒有想過爭名逐利，他只是盡力做好自己的本分。

然而，「嗜血的帝王」、「深淵魔法書」，兩件安格斯的隨身物品也相繼落入安德魯手中，加上安德魯是安格斯的轉生，若要重現魔界之王的威風，也不是**天方夜譚**。

「女王」和「帝王」就像光影一樣，迦南體內女王的力量在覺醒的同時，安德魯也一樣和帝王的距離愈來愈近。

　　人界內，位於商業區的國際展覽中心人來人往，這裡每天也舉辦不同的大型展覽活動，所以有不少來自世界各地的商人和旅客到訪，是城市中的商貿發展重鎮。

　　但是今天來展覽中心的訪客，並非為商貿而來，他們全都穿著整齊光潔的白色服裝，面露期盼和欣喜的表情。

　　「各單位注意，今天是女王面見信徒的重要日子，大家要提高警覺，**不容有失**。」鋼鐵的守望者──拉斐爾擔當起保安隊長的重任，安排獵人在不同地方戒備，提防黑魔法派突然來襲。

　　獵人公會，是建基於對女王的信仰而成立，長久以來女王的存在只是一個傳說，直至迦南

的出現，讓傳說變成現實。

「明明知道黑魔法的目標是女王，你們還安排迦南曝露在大眾面前，這豈不是**送羊入虎口**嗎？」艾爾文激動地質問。

「讓信徒親眼目睹奇蹟，公會的發展才能進入下一個階段，這是領導層的意義，是不容質疑的。」拉斐爾嚴肅地說。

公會總部的階級觀念極重，獵人只能服從上級的指示，向各自的工作崗位出發。

「艾爾文。」拉斐爾叫住了艾爾文。

「我知道你和女王早已認識，但你要記著這裡是**紀律嚴明**的公會，她不再是你的朋友迦南，而是你誓死效忠的女王。如果你想成為守望者，這是你必須認清的事實。」拉斐爾對艾爾文直呼女王的名字十分不滿。

「我明白了……」艾爾文地位低微，沒有反抗制度的能力。

守望者在對迦南的思想進行改造，他們要隔絕過去和迦南關係密切的人，令她只能依靠守望者，只能做他們所期望的女王。

　　展覽中心附近一帶保安嚴密，女王面見信徒的的展覽廳更是只有收到邀請的人才能進入，但**凡事總有例外**。

　　「小子，你要小心一點，不要被人發現你是吸血鬼啊。」黑貓摩卡輕聲說。

「摩卡你也一樣，被人發現你是會說話的貓咪就麻煩了。」魔法萬事屋的店長舒雅為配合公會的要求，穿上了白色禮服。

「迦南就在這會場裡……我終於能和她見面了。」安德魯既緊張又期待。

萬事屋三人組之所以能進入展覽廳，是因為舒雅接到委託，擔任一位重要人物的保鏢。

較早前，一個令安德魯意外的人來到萬事屋，他是海洋之都女王的丈夫，是曾經為獵人公會效力的前專業獵人、人魚公主愛莉的父親——基德。

「基德先生！」安德魯對他**印象深刻**，他曾扮成海盜王考驗安德魯和迦南。

「想不到會在這裡和你再見面，安德魯你比當年成熟了不少呢。」基德親切的輕拍安德魯的肩膀。

「基德先生，為什麼你會來到萬事屋呢？」

安德魯好奇的問。

「我是來委託你們，幫我找一個人的……」
基德一臉愁容。

尋人委託？我非常擅長
尋人的，包在我身上！

基德先生想找
的人是誰？

我的寶貝女兒……
離家出走了！

「吓？愛莉？」安德魯一臉問號，人魚公主理應正在海洋之都進行實習。

「人魚公主離家出走，為什麼你來人界找尋她呢？」摩卡不明所以。

那孩子昨天吵嚷著要見她的男朋友，結果和她的媽媽大吵了一架，我找遍整個海洋之都也不見她的蹤影……

人魚公主的男朋友難道是人類？

是艾爾文……他不只是人類，還是個公會獵人。

「畢竟人界和魔幻世界的關係愈來愈差，獵人對妖魔的敵對心態也愈來愈強，加上黑魔法派正在人界肆虐，我擔心她一個人在這裡會遇到危險……」基德說。

「據說獵人總部加強了對妖魔到訪人界的規管，甚至打算全面封鎖所有傳送門，禁止妖魔進入人界……」舒雅人脈廣闊，**消息靈通**。

「我雖然是人類，但我始終是海洋之都的一分子，若非有這封邀請信，恐怕我也不能來人界向你們作出委託。」基德拿出獵人總部發出的邀請信，他曾為公會立下不少功勞，所以有資格收到面見女王的邀請。

「*那些守望者不知道想利用女王搞出什麼陰謀*……」舒雅邊嘆氣邊說。

「有這封信的話……就能見到迦南嗎？」只要能見迦南一面，哪怕是火海安德魯也願意去。

「想不到那女孩是傳說中的女王，你很想

念她對吧？」基德從女兒口中聽過不少她在學園發生的事。

安德魯點頭**沉默不語**，基德同樣是愛上了非我族類，昔日他和愛瑪也受盡旁人誹議，所以他對安德魯的處境感同身受。

「要去見她一面嗎？我可以聘用你們為我的保鏢，這樣公會便不會留難你們。」基德微笑著說。

「但是……」舒雅想要拒絕，一方面她不想和公會再扯上關係，另一方面她在顧慮摩卡的感受。

「那個艾爾文是獵人，他一定會在會場出現，我們說不定能在那裡找到人魚公主。」但摩卡願意以大局為重。

「既然摩卡也同意，我們便去看看能否找到愛莉的線索吧。」舒雅和摩卡**共同進退**，於是才有了萬事屋三人組出現在獵人盛會的一幕。

第四章

思想教育

　　一個月前，在迦南收到獵人公會總部的實習邀請後，便下定決心返回人界，雖然她不知道實習的內容到底是什麼，但她深信這是正確的決定。

　　守望者為什麼對女王這麼執著？女王的力量可以帶來什麼？這些問題的答案都藏在獵人總部內。

　　「你知道在信徒眼中，女王到底是什麼嗎？」米迦勒帶著迦南在一條長長的走廊慢步。

　　這裡名為「歷史的長廊」，走廊兩側擺放著從公會成立至今收集得來的文物，記載著獵人和妖魔鬥爭的歷史。

　　「我不知道……」迦南**左顧右盼**，描繪著女王迦莉的藝術品多不勝數。

「拿著權杖，創造出魔幻世界，並帶領人類結束和妖魔的戰爭。人類的救世主，這就是信徒所崇拜的女王。」米迦勒停在一幅大油畫前面，迦莉高舉魔法杖和安格斯對峙，他們身後各自站著雙方的支持者。

「請問……這個人是誰？」安格斯身後的九頭蛇，迦南並不陌生，但迦莉身後站著的魔法師她卻沒有印象。

「**他只是一個無名小卒罷了，真正對人類存亡有影響力的，只有女王一個。**」米迦勒意味深長的微笑著說。

「我……沒有那麼強大的力量，直至現時為止，我只能勉強打開通往魔幻世界的傳送門。」迦南*戰戰兢兢*的說。

「那是因為女王的力量還在覺醒階段，這也是我邀請你到人界實習的原因。」米迦勒以引導者的角色拉近和迦南的距離。

「我不知道我能否滿足你們的期望。」迦南還是覺得這裡的一切很不真實。

「當你的魔力完全覺醒，就能**堂堂正正**以女王的身份接掌獵人公會，所有獵人和守望者也將聽命於你。這不是你答應來公會實習的真正原因嗎？」米迦勒當然知道迦南的想法，**人類是貪婪的，容易被強大的力量吸引。**

成為女王就能掌管獵人公會，迦南想透過這方法阻止人魔和妖魔的紛爭，建立兩族共存的世界。

「你沒有欺騙我？只要成為女王，獵人都會聽候我的命令？」迦莉未能做到的，迦南現在有機會做到。

而在迦南的計劃裡，海德拉和黑魔法派是最大的障礙。

「當然，只不過你對公會還不熟悉，我會在實習期間教你領導公會所需要的一切知識。」米迦勒不擔心迦南不受控制，他對自己的思想教育充滿信心。

米迦勒安排了一系列課堂培育迦南，除了有助魔力覺醒的魔法課堂外，迦南還要接受不同範疇的教育，要成為名副其實的女王，比迦南想像中困難得多。

「因為妖魔發動的襲擊而喪生的人類數目一直有增無減，獵人的數目卻不增反跌，幸好資助公會的信徒沒有因此動搖，他們的**慷慨解囊**，幫助公會渡過一個又一個難關。」例如人類和妖魔的歷史課。

「女王，請保持挺直的身姿，頭部、肩膀和臀部成一條直線，不要低頭，眼望前方。」**儀態舉止**也得重新接受貴族式教育。

「女王，使用餐具的順序是由外到內，用餐完畢後不應把餐具放在桌布上，而是應該放在盤子上。」餐桌禮儀自然也不在話下，這令迦南感到充滿壓力。

「為什麼我不可以離開獵人總部？」但最令迦南意外的，是她的人身自由也被奪去。

「黑魔法派正潛伏在人界，除了獵人總部沒有一個地方是安全的。」米迦勒把迦南徹底孤立。

「我能夠保護好自己，何況你不是安排了他們廿四小時看管著我嗎？」迦南指著加百列和雷米爾，她除了在房間有獨處的空間外，無論去哪裡也有守望者跟隨。

「我們已損失了兩名守望者，黑魔法派的威脅是**不容小覷**的。」迦南的所有要求也被拒絕，她只能做米迦勒允許的事。

海德拉的存在，成為米迦勒囚禁迦南的完美藉口。而為了回復自由，迦南唯一可以做的，是接受米迦勒的要求，儘快成為他一手一腳改造而成的女王。

展覽廳休息室內，迦南正坐在寬闊的鏡子前，化妝師和造型師為她打扮得**明艷照人**，但從迦南的表情還是能看出她並不快樂，而且內心忐忑不安。

「女王，你不用緊張的，會場內的信徒都是仰慕著你，只為見你一面不惜橫跨半個地球的人。」米迦勒在旁安撫迦南，他看著迦南的眼光，像藝術家看著自己的作品。

「正因如此……我才特別緊張，我怕令那些人失望。」迦南曾從轉生魔鏡中見過女王迦莉，她雖然是女王的轉生，但她始終不認為自己和迦莉是一樣的。

「你不用做什麼，單單是拿起權杖站在信徒面前，已是一個奇蹟。」信仰的力量很大，米迦勒能靠人類對女王的信仰得到龐大收益。

「而且我和其他守望者，會一直幫助你、指引你。」米迦勒認為是時候把改造的成果公諸於眾，這有利於他推動計劃的下一階段。

迦南看著鏡中的自己，那愈來愈像女王的感覺，令她害怕，但迦南最害怕的是她開始習慣：**習慣身邊不再有熟悉的朋友、不再有安德魯。**

「喂，加百列。」雷霆之守望者——雷米爾一直看著迦南的轉變。

「怎麼了？」聖光之守望者——加百列也一樣。

「這樣真的是好事嗎？」雷米爾是總部中少數不信服女王的人。

「你這話是什麼意思？」加百列問。

「她不過是米迦勒的傀儡吧？用來令公會獲得更多支持的傀儡，我們把她推到信徒面前，感覺像在欺詐。」雷米爾不喜歡迦南，也不喜歡米迦勒所做的事。

「噓……這番說話被人聽到的話就不好了……」加百列制止她繼續說，公會是紀律嚴明的地方，但它的紀律是米迦勒制定的。

「我成為守望者只為消滅更多妖魔，這場傀儡戲我實在看不下去……」雷米爾和很多獵人一樣，對妖魔充滿仇恨。

「你放心吧，只要計劃順利進行，你便能盡情屠宰你討厭的妖魔。」加百列也一樣。

「是時候了，來讓信徒見證奇蹟吧。」米迦勒期待已久的日子終於到來，他帶領女王步出休息室，踏入會場。

會場內座無虛席，掌聲更**如雷貫耳**，那些和迦南素未謀面的信徒全都無比激動，有些人更是**熱淚盈眶**，氣氛十分詭異。

「迦南……」在遠處觀望的安德魯眼中只看到迦南，可惜迦南沒有發現觀眾席上的他。

安德魯終於能見上迦南一面，但在這個不歡迎妖魔的獵人盛會中，安德魯只能壓抑上前和她相認的衝動。此刻他才真正感受到人類和妖魔之間，原來存在這麼遙遠的距離，他們身處的世界有多大分別。

　　會場內的信徒們情緒高漲，場面震撼得令迦南反應不來，呆站在原地**瑟瑟發抖**，她的反應完全在米迦勒的意料之中，他一舉手示意，信徒們立即停止歡呼靜候他發言。

　　「安德魯？為什麼他會在這裡出現的？」艾爾文發現了安德魯的身影，他和身旁的艾翠絲監察著四周圍。

　　「哥哥，我總覺得今日一定會有壞事發生。」自從進入會場後，艾翠絲便開始**心緒不寧**。

　　會場內所有人也經過身份確認，沒有可疑人物，也沒有非法闖入的妖魔，順利得惹人懷疑。

「各位，近日發生的多宗嚴重事故，也是由魔獸入侵所造成的，而我們已調查出魔獸出現的原因，是黑魔法派的所為。」米迦勒提到黑魔法派的瞬間，觀眾席立即傳出驚叫聲。

「萬惡之首海德拉，正帶領殘暴的妖魔大軍殺害無辜百姓，企圖統治人類的世界，他們的存在對人類構成了史無前例的威脅。」米迦勒的話語中滲透著魔力。

「怎麼辦？人類會滅亡嗎？」那魔力擴大了信徒的恐懼。

「我知道這一定令大家寢食難安，但是獵人公會是不會坐以待斃的，我們比過去更強大，比過去更有信心，人類一定能在這場戰爭中得到勝利。」這是和鳳禧相似的神奇魔力，米迦勒能透過這方法詭惑人心。

因為我們有女王——從
預言中轉世歸來、帶領
人類戰勝妖魔的女王，
現在就站在我的身邊。

迦南面對群眾連
一句話也說不出口，
米迦勒順理成章成為
女王的代言人。

「今後獵人公會不再處於被動，我們將會主動出擊，驅逐侵我領土的妖魔，奪回女王留給人類的遺產。」米迦勒的豪言壯語贏得信徒的支持，他們將會為公會慷慨解囊，令公會獲得更多資源。

這才是米迦勒安排女王面見信徒的真正用意，為公會籌集軍事資金。

「女王留給人類的遺產，所指的到底是什麼？」安德魯不明白箇中含意。

「是魔幻世界，米迦勒一直在盤算怎樣才能把魔幻世界一併收歸為屬於人類的地方，女王的出現，正好成為他冠冕堂皇的藉口。」舒雅鄙視著米迦勒。

「魔幻世界明明是女王為妖魔創造的世界，他是在扭曲事實……」安德魯錯愕的說。

「我也是在海洋之都生活了一段時間，才意識到公會一直對獵人灌輸錯誤的價值

觀……」基德也曾被進行思想教育，人類的思想很容易被**潛移默化**。

「妖魔之中有好有壞，人類當然也不例外。」既不是人類也不是妖魔的黑貓摩卡，不會種族歧視。

「但米迦勒是我看過的生物中，壞得最徹底的……」摩卡見到米迦勒後，便回想起過去痛苦的回憶。

信徒們站起來熱烈鼓掌，歡呼聲此起彼落，獵人們沒有留意到在觀眾席中有人作出異常舉動。

「那人在幹什麼？」安德魯和可疑的男人相隔了三行座位，無法確認他在翻找什麼。

直覺告訴安德魯這是危險的信號，立即拿出魔法杖。

「**黑魔法派萬歲！**」男人高舉炸彈高聲吶喊。

「嘩呀呀呀！！！」四周圍的信徒陷入恐

慌，驚聲尖叫。

「黑洞魔法！」安德魯還未準備就緒，但形勢危急，稍有差池在場人士可能全部喪命。

小型黑洞在炸彈上張開之際，炸彈爆破發出**震耳欲聾**的響聲，黑洞魔法來不及把爆炸的威力全部吸進黑洞內。

「幹得好，女王。這就是信徒需要的奇蹟。」米迦勒露出陰險的笑容。

女王的權杖閃閃生輝，迦南及時張開金黃的魔力屏蔽包圍炸彈和可疑男人，炸彈雖然爆炸了，但除了投放炸彈的男人外，在場所有人也*平安無事*。

「各位看清楚了嗎？這就是女王的力量！有了女王，就算陰險的妖魔向我們發動恐怖襲擊，我們也一定能夠化險為夷！」米迦勒抓準機會，把女王等於勝利的信息植入信徒的腦海中。

「安……安德魯？」迦南終於看見安德魯了。

「迦南……」這並不是好事，危機的確解除了，但同時吸血鬼安德魯曝光在信徒和獵人面前。

「他不是人類吧？」安德魯四周圍的信徒開始竊竊私語。

「為什麼妖魔會出現在這神聖的見面會的？」質疑安德魯的聲音此起彼落。

「該不會是和剛才的恐怖分子一樣，是黑魔法派派來的奸細吧？」愈來愈多充滿敵意的目光注視著安德魯。

「這位是我從魔法萬事屋聘用的保鏢，大家可以放心。」基德站起來為安德魯解圍。

「**魔法萬事屋？是那位拒絕加入公會的魔具師經營的店吧？**」舒雅和摩卡也成為在場人士的焦點。

「除了基德和他身邊的人外，安排其他信徒離開吧，我有話要對他們說。」米迦勒向工作人員說。

「那支魔法杖……怎會在這裡出現的？」米迦勒緊盯著安德魯手中的魔法杖，「嗜血的帝王」是魔界之王的象徵。

米迦勒一直只關注女王的覺醒，沒有想到原來曾經是魔界統治者的帝王，也**悄然無聲**轉世歸來，命運的紅線已再次把他們連繫起來，米迦勒正盤算著怎樣才能把它斬斷，才能令女王和帝王誓不兩立。

公會總部的審訊室內，米迦勒把基德和萬事屋三人組帶回來問話，被迫和米迦勒共處一室的黑貓摩卡顯得焦躁不安。

「我們要說的已經說完了，你還有什麼想知道？不要浪費我們的時間。」舒雅了解摩卡，她也不想待在這裡多一秒鐘。

「幾位**稍安勿躁**，這只不過是例行程序，投放炸彈的恐怖分子已當場身亡，我有需要調查會不會還有黑魔法派的幫兇，混雜在我們的盛會內。」米迦勒注視著安德魯。

「安德魯是魔幻學院的學生，我可以向你擔保他和黑魔法派一點關係也沒有。」基德說。

「安德魯……我對這名字有點印象，是那位在皇城保衛戰**大放異彩**的年輕吸血鬼吧？」從古至今，白色翅膀的吸血鬼就只有兩人，米迦勒當然對安德魯的事心中有數。

「我可以見你們的女王一面嗎？」安德魯十分擔心迦南。

「女王日程繁忙，而且她今天已很疲累了，你的請求我會代為轉達，你們可以離開了。」在短短的交談間，米迦勒已確認了兩件事。

女王和帝王還是愛慕著對方，現在的帝王雖然已找回魔法杖，但他還不會當日令人類陷入恐慌的深淵魔法。

「摩卡，我們後會有期吧。」米迦勒知道現在的帝王**不足為懼**。

米迦勒，是曾令黑貓摩卡無比痛苦的人。

「不，我們不碰面比較好。」舒雅把摩卡抱入懷中說。

幸好有舒雅，摩卡才能離開那可怕的地獄。

　　女王的寢室內，迦南正和看守她的守望者爭吵著，看見安德魯後，她的情緒十分激動。

　　「我要見安德魯！他現在就在總部內吧？」迦南**大聲吆喝**。

　　「女王，米迦勒吩咐過，我們不能讓你離開這房門半步的。」加百列擋在門前勸說。

　　「為什麼？你們是把我當作囚犯了嗎？」迦南**怒氣沖沖**，她的所有要求也被拒絕。

　　「不……我們只是為你的安全著想，我們不知道黑魔法派有沒有派出其他想傷害你的恐怖分子。」加百列強顏歡笑，生怕刺激到女王。

　　「一派胡言！我現在就要去見安德魯！讓開！」迦南輕而易舉就能爆發出比過去更耀眼

的金黃魔力，覺醒訓練確實令她更上一層樓。

「野蠻的臭丫頭……你聽不懂我們的說話嗎？還是要我用武力令你屈服？」雷霆的守望者雷米爾不甘示弱，電流在她的兩手嗞啪作響。

「你們真的認為能阻攔得了我嗎？**我是能隨時打開傳送門，任意穿梭兩界的女王！**」迦南意識到自己已愈來愈強大，信徒的掌聲壯大了她的自信心。

「看來我有必要讓你認清事實，你這個只會紙上談兵的女王和身經百戰的守望者，實力到底有多大的差距！」雷米爾由始至終也不信服女王。

「你們冷靜點，有話好說嘛……」加百列可沒有信心能阻止兩人。

迦南和雷米爾情緒激動，兩人準備大打出手，一直感到十分壓抑的迦南隨時爆發起來。

「你們在吵鬧什麼？」米迦勒一來到，緊張的氣氛便緩和下來。

這便是七大守望者之首、領統獵人公會的人獨有的能力。

「雷米爾，無論在任何情況下，都不能對女王動粗。」米迦勒以溫和的態度說。

「嘖……」在米迦勒面前，暴躁的雷米爾也會自動自覺收斂下來。

「我想見安德魯，他是不是來了公會總部？」迦南的態度也沒有剛才那麼強硬。

「女王，安德魯已經離開了。若然你這麼希望和他見面，我可以再作安排，但請你先集中精力在公會的事務上。」米迦勒知道安德魯是迦南的*軟肋*，是可以好好利用的弱點。

　「待你正式以女王的身份管治獵人公會，
要見誰也好，幹什麼也好，全都由你來決定，
所以早日完成覺醒教育才是最有利的事。」米
迦勒給予迦南希望，令她相信就算現在再艱苦
也好，只要挨過去就能為兩個世界帶來最美好
的結局。

「現在你最需要的是好好休息，今晚的宴會對你十分重要。」米迦勒成功了，迦南想見安德魯的衝動已消退了。

我明白了……

加百列既佩服米迦勒的口才，同時對他操控人心的手段感到害怕，他害怕自己會不會和迦南一樣，其實一直以來被米迦勒**玩弄於股掌之中也懵然不知**。

離開了公會總部後，萬事屋三人組是時候繼續完成基德的委託，身份特殊的基德不便留在人界，只能回去海洋之都*靜候佳音*。

「人魚公主沒有在展覽會場附近出沒，看來我們要擴闊搜索範圍了。」舒雅邊撫摸摩卡的毛髮邊說。

「但只靠我們三人，難以找遍城市每個角落啊。」安德魯苦惱的說。

「當然不能只靠我們啦，在人界闖蕩，人脈和情報是不可缺少的力量。」摩卡舔舔掌心肉球，離開公會範圍後，牠才安心下來。

「我們應該怎樣收集情報呢？」安德魯只會魔法，但魔法也有派不上用場的時候。

「我們去找線眼**遍佈全城**的情報商吧，牠們是摩卡的老朋友，應該會給我們折扣優惠呢！」舒雅笑笑口說。

安德魯十分好奇摩卡的過去，從米迦勒的語氣和態度可見他們早已認識，舒雅對公會如此抗拒和反感，一定和摩卡的過去有關。

小子，為什麼定睛看著我？

沒⋯⋯沒什麼，我們快點去找情報商吧，我擔心愛莉會遭遇不測。

為免觸及摩卡的傷痛回憶，安德魯還是選擇不**舊事重提**。

人魚公主逗留人界愈久，被獵人公會和黑魔法派發現的機會愈大，但在這緊張局勢之下，

無論是獵人還是妖魔，被他們發現對愛莉來說也不是好事。

　　萬事屋三人組為了收集情報出發尋找情報商，作為以販賣情報為生的特殊商人，他們的人身安全經常受到威脅，所以情報商的藏身之處總是設在隱蔽的地方。

　　「摩卡，入口是不是在這附近嗎？」舒雅帶著大家走到一條人跡罕至的後巷後，面前卻是一條死胡同。

　　「嗯，在下面。」摩卡從舒雅懷中一躍而下，在石牆的最底部有一扇精緻的小木門。

　　「這麼小的入口？」安德魯驚訝的問。

　　「這又是我的魔法道具大派用場的時候了，登登！縮小糖果！」舒雅從斜肩袋取出魔法道具。

　　「只有兩顆嗎？」摩卡問。

　「啊！我忘記了製作安德魯那份！因為一直只有我們兩個員工嘛⋯⋯」冒失的舒雅說。

　「我可以用魔法把自己的身體變小。」安德魯取出魔法杖。

　「不用了，這一次就由我和安德魯兩個去吧，反正牠們不喜歡人類。」摩卡接過糖果，**牠口中的情報商原來並非人類。**

　「好吧⋯⋯我在這裡等你們吧。」舒雅知道摩卡有意和安德魯獨處。

　身為萬事展的一分子，互相了解是十分重要的。安德魯向大家打開了心扉，摩卡也認為是時候把自己的故事告訴安德魯。

第七章

摩卡的過去

摩卡和安德魯縮小身體後，成功打開小木門走進昏暗神秘的通道，這條特別通道四通八達，安德魯走了十分鐘難以想像將會通往什麼地方，終於摩卡在另一扇小木門前停下腳步。

「小白，我有事情需要你的幫忙。」摩卡推開木門，這裡就是情報商的藏身地點。

一隻白老鼠坐在迷你辦公桌前，牠所使用的電腦和文具全都比正常細小得多。

小白和摩卡一樣同樣擁有高度智慧，而且會說人類的語言。

　　「他是萬事屋的實習生，吸血鬼安德魯。」摩卡說。

　　「**妖魔……雖然不像人類，但也不是好傢伙。**」小白特別討厭人類，牠和摩卡有很多相似的地方。

　　「他可是我們的客人啊！老公你不要這麼失禮。」另一隻白老鼠端出熱茶，牠是小白的妻子小妮。

　　「會說話的白老鼠……而且不止一隻……」安德魯看得目瞪口呆。

　　「我們在找人魚公主，她從魔幻世界來了人界，但我們四處尋找也不見她的蹤影。」摩卡把愛莉的相片交給小白。

在這種時勢下還前往人界，人魚公主的膽子真大……

小白掃描愛莉的相片後發送給員工們，白鼠情報商是由白老鼠組成的。

我會叫我的兄弟姊妹們幫你留意的，有消息的話我派人前往萬事屋通知你吧。

小白家族龐大，牠們活在人類留意不到的角落，透過四通八達的隱蔽通道前去收集情報，是非常出色的情報商。

那就拜託你了。

摩卡雖然是貓，但小白一點也不怕牠，因為牠們曾長時間被困在相同的地方。

「你不是有問題想問我嗎？隨便問吧。」摩卡刻意和安德魯一同行動，是為了解除他心裡的疑問。

「摩卡前輩……你是怎樣認識守望者米迦勒的？」會說話的貓和統領公會的獵人，這組合實在令人**匪夷所思**。

「你認為一隻貓，是怎樣變得會說話和會魔法？」摩卡問。

「前輩不是天生會說話和魔法嗎？」在魔幻世界長大的安德魯覺得天下**無奇不有**。

「哈哈……你果然是個天真的小子，這當然不是自然發生，而是人為所致啦！」摩卡苦笑著說。

「人為？難道是像天啟財團那樣的人體實驗？」安德魯回想起有些人類，是多麼瘋狂。

「人類啊⋯⋯是不會從一開始就拿自己的同胞當實驗品的。在向人體進行實驗前，他們會先拿動物來測試，直至研究進展得到成果，才會在人類身上進行**臨床實驗**。」摩卡和小白一家，也是魔力覺醒的早期實驗品。

「魔力覺醒計劃，表面上是由天啟財團主導，目標是**令所有人類也能使用魔法**。但這計劃背後的推手，是獵人公會的領導人，守望者米迦勒。」現在摩卡看見米迦勒，還會想起實驗過程帶給牠的痛苦。

「摩卡，堅持下去，人類的未來就靠你了。」
米迦勒多次出現在實驗室，變得會聽會說人類語
言的摩卡，聽懂天啟財團和他的秘密對話。

　　「我還記得阿諾特為了拯救被拿來當實驗
的女孩，結果反被守望者追殺。」安德魯也因此
和加百列大打出手。

　　小白雖然變得會說話，但始終不會使用魔
法，而摩卡成為了實驗第一階段的突破，第一隻
會說話和會魔法的動物就此誕生。**動物實驗
成功後，天啟財團便著手準備向
人類進行實驗。**

「在米迦勒的眼中，所有生物也是可以利用的棋子，只要能達到目標，他不會計較犧牲的是人、是貓、是白老鼠、還是妖魔。」摩卡深受其害，瘋狂的實驗害死了很多動物，也令牠多次在**瀕死邊緣**。

「全民魔力覺醒，這是能夠辦到的事嗎？」安德魯覺得難以置信。

「原本這只是不設實際的想像，要令魔力覺醒需要大量外來魔力進行刺激，能令一隻小型動物覺醒已經是極限，**直至天才魔具師發明了儲存魔力的方法。**」摩卡接著說。

「那些發光水晶……」阿諾特曾向安德魯展示過的魔力大炮，就是以這種被稱為魔石力的水晶作為能源推動。

「天啟財團曾招攬舒雅加入研究團隊，但她一口回絕了。舒雅為節能環保的研究，被天啟財團用來製作武器和進行實驗，這令舒雅**心如刀割**。」摩卡和舒雅的相遇，就在天啟財團的實驗室。

「你的天賦能改寫人類和妖魔的歷史，加入我們，成為新世界的推手吧。」米迦勒帶舒雅看他得意的實驗成果——摩卡。

「你們竟做出這種天理不容的事……難道你們沒有良心嗎？」舒雅抱緊摩卡，眼淚不由自主的傾瀉下來。

「良心並不會帶來進步，文明進步的背後是需要作出犧牲的。」米迦勒試圖說服舒雅。

「我要帶走這貓兒，而且我是不會跟你們**同流合污**的。」舒雅堅決拒絕。

「你真的任由她帶走實驗完成品嗎？」天啟財團的研究員問。

「反正在動物身上的實驗已告一段落，是時候把著眼點放在人類身上，這隻黑貓就送給她，當是為我們的研究帶來突破的禮物吧。」米迦勒已得到想要的東西，魔力石是劃時代的重大發明。

從此，摩卡成為了舒雅最重要的搭檔，舒雅不再和獵人公會合作，也不再製作新的魔法道具，因為她害怕自己的發明被用來做壞事。

「萬事屋的工作……對舒雅來說是贖罪，她到現在還是對過去**耿耿於懷**，雖然她的本意是好的，但卻成就了壞事。」說著說著，摩卡也差不多回到原來的地方。

「舒雅願意把深淵魔法書交給你，是因為她相信你會用來做正確的事，你不要令她失望，否則我不會對你客氣的。」舒雅拯救了摩卡，摩卡守護著舒雅，這是摩卡報答她的方法。

「我一定不會令你們失望的。」安德魯對深淵魔法的確有過擔憂。

那些魔界之王曾用來一統魔幻世界、屠宰過不少人類的魔法，是染滿鮮血的武器。**但魔法和很多事情一樣，本質其實沒有善惡之分，是善是惡，完全取決於使用者的心。**

第八章

落難的人魚

　　萬事屋三人組拜託了白鼠情報商尋找關於愛莉的線索，而因為和母親發生爭執，一氣之下離家出走的愛莉，正在人界感到十分迷惘。

　　「媽媽簡直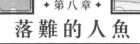！她自己也是人類結成夫婦，憑什麼反對我和艾爾文交往？」愛莉正對著商店門外的企鵝吉祥物抱怨。

　　「就算人界和魔幻世界關係惡化，也不等於所有人類也討厭妖魔，所有妖魔也排斥人類呀！企鵝先生，你說對嗎？」企鵝先生只是一個大型公仔，是不會回應愛莉的。

但此刻愛莉真的很需要聊天對象，身無分文的她來到人界半天，既沒有吃過東西，也找不到認識的人。

艾爾文這個壞蛋……竟然一個月也沒有寄過一封信給我，一定是在總部另結新歡了！被我找到他的話，我一定要把他煎皮拆骨！

愛莉在實習開始前收到的最後一封信上，艾爾文提到他會調職獵人公會總部工作。

「肚子快餓扁了……艾爾文你到底在哪裡？」愛莉和普遍人界市民一樣，根本不知道公會總部設立在哪裡。而作為偷渡過境的妖魔，也不可能**大搖大擺**走入公會總部。

「怎樣才能找到他呢？又怎樣才能讓他找到我呢？」愛莉來到海旁，昔日她曾和艾爾文在這裡約會。

再次看到在歌唱的街頭藝人，愛莉十分感觸，情不自禁在人群中一展歌喉。人魚的歌聲是獨特的，擁有極強感染力的，現在愛莉的歌聲充滿對艾爾文的思念，聽眾也不知不覺流下悲傷的眼淚。

「很動聽啊……我從未聽過這麼**悠揚悅耳**的歌聲。」聽眾的目光都集中到愛莉身上。

「這女孩是藝人嗎？長得漂亮而且歌聲動人。」就連本來在唱歌的街頭藝人也放下咪高峰靜心細聽。

「**不好了……*艾爾文說過在人界切忌引人注目的*……**」愛莉驚覺自己犯下大錯，匆匆忙忙離開群眾的視線範圍。

「這歌聲……不是屬於人類的。」但愛莉的行蹤還是被發明了，一個矮小的身影靜悄悄尾隨著她。

愛莉拼命奔跑，天空烏雲密度似是快要降下滂沱大雨。

「被雨水沾濕的話，尾巴會露出來的……」愛莉連忙蹲在簷篷下，縮起身子減少沾到雨水的機會。

下雨了，愛莉來到人界慘受飢寒交迫，這和她想像的**截然不同**。

「為什麼會變成這樣的？我只不過是想見艾爾文一面……」愛莉十分無助，一想起上一次在人界有艾爾文**寸步不離**保護她，淒涼的感覺便愈發強烈。

「姐姐，你不是人類對吧？」戴著帽子的小女孩為愛莉撐起雨傘。

「你……是什麼人？」身份曝光，愛莉擔心來者不善。

「你是不是迷路了？需要幫忙嗎？」小女孩脫下帽子，露出一雙貓耳。

小貓女菲蕾找到**落難街頭**的人魚公主，向需要幫助的妖魔施以援手，是阿諾特的伙伴們在人界默默進行的事。

被改造成收容中心的**棄置地鐵站**內，人魚公主遇上吸血鬼王子。

「阿諾特！為什麼你會在這裡出現的？」愛莉想不到在人界遇到的第一個熟人會是阿諾特。

這問題應該由我問你才對吧？人魚公主不是應該在海洋之都嗎？你偷渡人界不怕被拿來當人魚刺身嗎？

好討厭……艾翠絲怎會喜歡這麼毒舌的人，一定是艾爾文誤會了，實情是他對艾翠絲死纏爛打……

實在太可笑了！本王子死纏爛打？這麼荒唐的說話有人會相信嗎？

「你應該肚子餓了吧？要不要和我們共進晚餐？」鳥人露比笑著問。

「餓啊！真的可以嗎？我身上身無分文啊……」能遇到阿諾特的伙伴是愛莉的幸運，若發現她的是黑魔法派後果不堪設想。

「老大很久沒有表現得這麼有朝氣了，我們很歡迎你來作客。」自從擊潰天啟財團後，阿諾特便一直死氣沈沈，這令人狼奇洛等人十分擔心。

在阿諾特**停滯不前**的這段時間，奇洛和露比以他的名義收容了更多妖魔，這些阿諾特**素未謀面**的陌生人，正在以感激仰慕的目光注視他。

「一定是因為艾翠絲不理會他吧！」愛莉總算找到安全的地方，不用露宿街頭。

「荒謬！我似是這麼容易被兒女私情影響的人嗎？」要面子的阿諾特當然不會承認。

你不用害羞呀，我是為了見艾爾文而來人界的，想見掛念的人是一件不用覺得羞恥的事。

「還以為人魚公主是嬌生慣養的千金小姐，想不到你是這麼爽快直率的人……」阿諾特對愛莉改觀。

這裡沒有光鮮的擺設、沒有精美的佳餚也沒有專人服侍，但愛莉不只沒有任何埋怨，還顯得舒坦自在。*這個為見愛人不惜隻身闖進人界的女孩，比阿諾特更懂愛懂恨。*

「只不過⋯⋯你和艾爾文告訴我的有很大差別呢。」愛莉瞪大眼睛說。

「什麼?」阿諾特問。

「**他說你是一個膽大包天,恣意妄為的瘋子。**」愛莉有一說一,不會作出虛偽的修飾。

那臭小子⋯⋯下次見面我一定要揍他一頓。

「但你一點也不像他說的那樣⋯⋯你現在比較像個怕跌倒而不敢奔跑的小孩子。」愛莉明亮的眼睛像能看穿阿諾特的思緒。

「想不到艾爾文很有眼光呢。」阿諾特如被**當頭棒喝**，心中的雲霧一掃而空。

「愛莉，你很想見艾爾文對吧？」一向無畏無懼，勇往直前的阿諾特近日的確沒有了昔日的風采。

「對呀！怎麼了？你能幫我嗎？」愛莉的出現令阿諾特意識到問題所在。

「嗯！我們久違的大鬧一場吧！」奇洛和露比這些跟隨了阿諾特一段日子的骨幹成員欣慰的笑著，他們需要的是敢於挑戰和革新的領袖，而不是**委曲求全**的懦夫。

「老大有新的壞主意了，有誰想加入？」奇洛期待已久，黑色的火焰勢必以更猛烈的姿態重燃。

「在此之前……」阿諾特霧化轉移，把在暗處偷偷摸摸的小間諜抓起來。

「奇洛，吃了牠。」阿諾特可不是這麼容易受騙的。

　　每一個人也有陷入低潮，**一蹶不振**的時間，阿諾特受愛莉啟發而重新振作，準備再次**大展拳腳**。但與世隔絕的迦南不像阿諾特這麼幸運，在米迦勒的操控下正慢慢失去自我。

第九章

找到你了

　　獵人總部大樓外，迦南在嚴密保護下踏出大樓，準備坐上長長的豪華轎車赴會。身穿晚裝的迦南顯得不自在，但這是米迦勒的安排，他們要出席的晚會集合的上流人士，全是對公會貢獻良多的信徒，所以有幸和女王共進晚餐。

　　「你們留守在總部吧，別忘記一週後就是你們的選拔賽，把握時間好好增強實力。」鋼鐵之守望者拉斐爾對艾爾文和艾翠絲寄予厚望，選拔賽將決定兩個守望者的位置花落誰家。

　　「明白。」艾爾文目送轎車遠去，他也不知道迦南會被帶去什麼地方。

　　熟悉的歌聲在遠方飄揚，本應返回總部的艾爾文停下了腳步。

「哥哥，怎麼了？」艾翠絲察覺到兄長神色凝重。

「那傻瓜⋯⋯該不會來了人界吧？」這歌聲、這魔力，艾爾文從未忘記。

「有妖魔在附近，很有可能是黑魔法派的成員，大家立即出動！」留守總部的不乏經驗豐富的獵人，他們迅速帶上武器展開搜捕。

「是愛莉⋯⋯我要比其他人更快找到她。」艾爾文**不敢怠慢**，立即騎上魔導靈傲雪冰馬。

「行動開始，好好戲弄一下這班獵人吧！」阿諾特對著無線耳機發號施令，一群**身手不凡**的妖魔朝不同方向高速散開，他們都帶著擴音器，播放著愛莉的歌聲。

「不愧是我們的老大，連獵人也不放在眼內。」人狼們身手敏捷，要追上他們絕非易事。

「哥哥還像個小孩一樣……雖說是為了幫人魚公主，但有必要勞師動眾嗎？」吸血鬼約娜有靜止魔法這看家本領，就算追上也奈何不了她。

「老大是在**以權謀私**呀！」鳥人露比洞悉了阿諾特的意圖。

「謀私？此話何解？」約娜問。

「你們別顧著閒聊，被獵人抓住我是不會負責任的。」阿諾特**翱翔天際**，他已久久沒有開懷地飛馳。

「呼！」槍聲傳到眾人的耳機，子彈在阿諾特耳邊擦過。

　　「前面的可疑妖魔立即停下！」艾翠絲騎在魔導靈貓頭鷹上，和阿諾特在夜空中你追我趕。

　　「你是認真的嗎？被打中的話會很痛的！」阿諾特慌張地叫嚷。

　　「廢話少講！**束手就擒！**」艾翠絲的攻擊絕不是開玩笑的。

　　「是你先動手的，休怪我不手下留情，黑焰追蹤彈！」阿諾特豈會乖乖就範，立即以火球還以顏色。

「我們別管老大了，白馬王子呢？他有走向正確的方向嗎？」鳥人露比知道這是他們需要的溝通方法。

「這傢伙真了不起呢，他從一開始便沒有被我們誤導，應該快到達目的地了。」奇洛等人全被艾爾文無視過去，他的目標**始終如一**。

遊樂場已過了營業時間，所有機動設施也停止運作，理應**鴉雀無聲**的遊樂場卻有人魚的歌聲在迴盪，站在噴水池前面的愛莉在以歌聲呼喚她思念的人，引導他前來自己的身邊。

「愛莉！」艾爾文成功找到歌聲的來源。

「嗚……」愛莉**喜極而泣**，二話不說便飛奔到心上人的懷抱裡。

「這不是幻覺吧？還是我在發夢嗎？愛莉又怎會在人界出現呢？」艾爾文捏著愛莉溫暖的臉頰。

「笨蛋……你想知道自己是不是在發夢，應該捏你自己的臉，而不是我的臉呀！」愛莉的感動被這不解少女心事的艾爾文一掃而空。

「這麼愛鬥嘴，是真正的愛莉呢……」艾爾文溫柔地輕拍愛莉的頭顱。

「嗚……我本來準備了很多咒罵你的話要講，但一看見你我就統統忘記了！」愛莉腦子一片空白。

「對不起，總部把你寄給我的信件全部沒收了，我也沒有辦法和外界聯繫。」不只迦南，艾爾文和艾翠絲也成為了**獵人總部的囚犯**。

「你還要待在那鬼地方多久？你不擔心我不再等待你，不再想念你嗎？」愛莉邊哭邊說。

「我還不能離開總部……」艾爾文望向不遠處，除了愛莉之外，這裡還有一個他熟悉的朋友。

「迦南變得很陌生，如果我和艾翠絲也不在，我怕她會*斬行斬遠*。」艾爾文在對安德魯說。

「舒雅……你到底在哭什麼呀？」摩卡無好氣的說。

「他們被迫分開……很令人心痛呀！」舒雅接到白鼠情報商的通知後，萬事屋三人組便來到遊樂場準備和愛莉會合。

「我們的實習生也是這樣的處境呀。」摩卡知道安德魯的內心也不好受。

阿諾特沒有命人吃掉小白鼠，小白鼠告訴了阿諾特魔法萬事屋的事後，阿諾特便決定把愛莉交給安德魯，因為留在他身邊只會被獵人視為眼中釘。於是安排了這次行動，好讓愛莉在回去魔幻世界前能和艾爾文見上一面。

「我和艾翠絲會成為守望者站在迦南身邊，你不用擔心。」艾爾文和安德魯處境十分相似，只不過他是獵人，安德魯是妖魔。

安德魯點頭致謝，他知道繼續擔心下去也不是辦法，**要改變現狀他需要強大得能憾動公會總部的力量，例如屬於魔界之王的力量。**

◆ 第十章 ◆
女王的晚宴

遊樂場內，艾爾文和愛莉深情對話，珍惜相見的美好時光。夜空中，阿諾特和艾翠絲卻在鬥個**你死我活**。

　　「你還不肯住手嗎？我找你是為了尋求對話，不是為了跟你打架的。」今晚的目標除了為圓愛莉的心願，也是為了阿諾特自己。

　　「我們之間還有什麼好說？就算要說也該待我把你逮捕後再說！」艾翠絲**滿腔怒火**難以平伏。

　　「你這固執的傢伙……」阿諾特焰起黑焰火盾，艾翠絲未有停止攻擊的意思。

　　「是你背棄了我們之間的承諾，你知道我有多麼相信你嗎？」艾翠絲所受的傷痛有多少，代表她對阿諾特的信任有多少。

　　「黑焰火鳥魔法！」阿諾特看準時機釋放魔法，摧毀艾翠絲搭乘的飛行魔導靈。

你說過不會有問題，你說過會負責任的！然後你做了什麼？躲在地底與世隔絕嗎？

　　借助黑魔法派幹部的力量，艾翠絲是反對的，但阿諾特一意孤行。

　　黑魔法派，是兩族關係惡化的導火線。釀成今日的局面，阿諾特**責無旁貸**，這一點他自己也一清二楚，所以他才陷入低潮了一段時間。

我一定會收拾這殘局，你再給我一點時間吧。

　　阿諾特曾是黑魔法派的幹部，他在近距離見識過九頭蛇有多麼強大。

「公會也好、黑魔法派也好，不正確的東西就不應該繼續存在，但單靠我一個人是不足以摧毀它們的。」阿諾特把右京的遺言告訴了艾翠絲，獵人總部的地底下存在**不可告人**的秘密。

遊樂場內，愛莉完成了偷渡人界的目標，舒雅也是時候完成基德的委託，魔法萬事屋內藏有通往魔幻世界的傳送門，這是獵人公會也不知道的事。

「安德魯，麻煩你代我向阿諾特說聲謝謝，因為我的*任性妄為*，令大家受累了。」愛莉誠懇道歉。

「世界會改變的，雖然不知道要多久……但我們會一起改變它，而不是任由它去改變我們。」安德魯**眼神堅定**。

「唉呀……為什麼會沒有反應的？」舒雅正在傳送裝置前埋頭苦幹。

「難道太久沒有使用，所以失靈了嗎？」摩卡問。

「不……我有定期進行**保養維修**，不是設備上的問題。」舒雅在魔法道具的保養上不會馬虎。

「怎麼了？」安德魯突然有不祥預感。

傳送門，是女王能任意操控的東西。

「**大件事了……傳送門無法打開。**」舒雅知道事態嚴重。

「那我是不是不用回海洋之都了？」這對愛莉來說或者是好消息。

「不如我們去找別的傳送門再嘗試一下？」安德魯不想接受現實。

「沒有用的，是女王的力量把原本存在的傳送門統統關閉了。」舒雅說的女王自然是指迦南。

所有來往兩個世界的出入口突然被關閉，這是前所未有的事，也意味著兩族關係更加惡化，在人界的妖魔面臨**無路可走**的困局。

晚宴上，十二名對人類世界最有影響力的信徒和迦南享用著豐盛的晚餐，當中包括貼身侍奉迦南的守望者，米迦勒。

「能近距離和女王見面，實在太榮幸了。」他們都對迦南**阿諛奉承**。

「全靠女王今日及時施展魔法，不然會場內不知道有多少人會一命嗚呼。」因為他們的信仰比過去更加堅定。

　「米迦勒你提出的建議我們一一接受，只
要有女王在我們便不用再擔心受妖魔侵害。」
米迦勒的初步目標達到了，女王已在信徒心中
建立穩固地位。

「放心，你們不只是投資在公會上，而是投資在全體人類的未來上，乾杯。」米迦勒舉起酒杯向眾人祝酒。

「敬女王。」米迦勒滿意地笑著說。

「敬人類。」**他親手打造的女王，成為了全體人類的救世主。**

其餘四名守望者擔任保安工作，加百列看著長桌上被洗腦的人，不禁說出心中疑慮。

「今日在會場發動恐怖襲擊的人，真的是黑魔法派派來的嗎？」加百列說。

「負責調查此事的是米迦勒，你為什麼這樣問？」拉斐爾不會質疑上級。

「如果真的是妖魔，會用炸彈襲擊我們嗎？」加百列感覺這次襲擊背後有人在操控。

「那顆炸彈威力強大，施襲者的屍體在近距離下被蒸發得一乾二淨，想調查也苦無對

策。」烏列爾只相信證據。

「不是妖魔的話會是什麼？人類沒有這樣做的理由呀。」雷米爾沒有機心。

「或者是我想得太多吧……」加百列很清楚米迦勒的手段，而且爆炸的時機實在太合適，像是**精心策劃**的一場戲。

「女王，安全起見，在剿滅黑魔法派前，我認為你徹底關閉所有傳送門比較安全恰當。」米迦勒覺得是時候進入下一階段。

「吓？」迦南不知道米迦勒真正的打算。

「同意，這樣既可以阻止他們增派援軍，也能確保不會放虎歸山。」信徒全部支持米迦勒，這令迦南備受壓力。

「就算你們這樣說，我也不知道我是否辦得到呀……」迦南連**深思熟慮**的機會也沒有。

「你可以的，只要女王想要辦到，奇蹟就會出現。」米迦勒就是這樣迫使迦南切斷兩個世界的連接。

女王的力量**日益增長**，迦南在公會的地位也愈來愈高，但這又是否代表迦南掌管公會的那天更接近呢？**就算登上至高寶座，她看到的又會否是她期望的人界呢？**

我的 吸血鬼同學

通往魔幻世界的傳送門徹底封閉，人類和妖魔的
關係急劇惡化，黑魔法派的領袖終於按捺不住，
大戰一觸即發。

為了得到魔界之王的力量，安德魯開始了深淵魔法
的修行，但要得到扭轉局面的力量必須先付出代價。

vol.23 2024年3月出版
大結局倒數，還有3期！

美型少女升上大學
閃亮再現身～ ♥

她們

機智天才少女
張綺綾

開朗可愛副會長
林紫語

強勢會長
林紫晴

最受歡迎的
華麗貴族校園小說

回來了！

沉穩中性秘書
郭智文

文藝書蟲
阮思昀

腹黑蘿莉
司徒晶晶

駭客級電腦高手
曾樂盈

全新第二季

推理女公主U

原班人馬　　2024年7月歸來

2024 年度特別企劃

心頭一震中性新書種

適合膽大生毛的你

又要驚又想窺看之書

到時千萬

不准尖叫

創造館 CREATION CABIN

7 月書展神秘出版
敬請留意

每件失落的聖物，
都有它的神奇魔力；

專屬你的星座魔法，又會是什麼呢？

白羊座的懷錶

白羊樂觀開朗，常有跳脫的躍動式巧思；懷錶的魔法是可以追溯時間，能瞬間傳送使用者回到過去身處的位置。

雙魚座的魔笛

魚兒善解人意，敏感善良，很多幻想；魔笛吹奏出來的聲音能使人出現幻覺，控制人的心智呢！

已尋獲的聖物

獅子座的襟針

獅子最有領導能力，剛強但有點固執；襟章的魔力是能任意指揮方圓百里內的所有動物。

水瓶座的魔法筆

瓶子一般情感豐富，愛哭愛笑；魔法筆的不思議力量，是能夠把內心澎湃想像力畫出的物品，一一變成實體呈現出來！

我的吸血鬼同學

創作繪畫	余遠鍠
故事文字	陳四月
策劃	YUYI
編輯	小尾
設計	陳四月
校對	Eva Lam
實景	張耀東
製作	知識館叢書
出版	創造館
	CREATION CABIN LTD.
	荃灣美環街 1-6 號時貿中心 6 樓 4 室
電話	3158 0918
發行	泛華發行代理有限公司
	香港新界將軍澳工業邨駿昌街七號二樓
印刷	高科技印刷集團有限公司
出版日期	2024 年 2 月
ISBN	978-988-70025-8-1
定價	$78
聯絡人	creationcabinhk@gmail.com